MAXIM CYR & KARINE GOTTOT

LES DRAGOUILLES

LES ORANGÉES DE JOHANNESBURG

15

ÉDITIONS
MICHEL
QUINTIN

Mot des auteurs

Hé! Venez vite nous rejoindre dans un magnifique pays situé au sud du nord.

C'est n'importe quoi, comme indication? Hi! hi! hi! Vous avez bien raison.

Nous nous trouvons dans la ville de Johannesburg, en Afrique du Sud. Si vous préférez, vous pouvez aussi l'appeler Jozy, Joburg ou J'burg. C'est ainsi que ses habitants la surnomment affectueusement.

Vous ne croiserez pas de girafes ni d'éléphants dans les rues de Johannesburg, mais ne vous inquiétez pas. Nous vous amènerons tout de même en safari.

Johannesburg est une véritable mégalopole où les gratte-ciel, autoroutes et centres commerciaux font partie du paysage. La nature y est aussi importante. Avec plus de 10 millions d'arbres, la forêt urbaine de Johannesburg est considérée comme la plus grande zone boisée du monde créée par l'homme.

Nous n'en disons pas plus.

En route vers la jolie Jozy.

- *Max* et *Karine* -

AMÉRIQUES

On trouve des dragouilles partout dans le monde !
La couleur de leurs ailes et de leurs cornes change selon le continent où elles vivent.

EUROPE

ASIE

AFRIQUE

OCÉANIE

VOICI LES DRAGOUILLES QUE TU VAS RENCONTRER :

LES JUMEAUX

Les jumeaux se croient les pros des jeux de mots. Pourtant, ils sont souvent les seuls à se trouver rigolos !

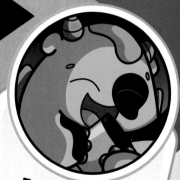

L'ARTISTE

C'est la plus créative de la bande. Elle dessine partout, même sur sa voisine !

LA BRANCHÉE

Voici la dragouille ultra-tendance. Tellement branchée qu'elle électrise tout sur son passage.

LA GEEK

Cette dragouille a hérité d'un petit extra de neurones entre les deux oreilles. À elle seule, elle fait remonter la moyenne du groupe !

LE CUISTOT

Cette dragouille à toque sait cuisiner bien plus que des grillades ! Pâté d'anchois à la sauce poubelle, ça te dit ?

LA REBELLE

La rebelle est la dragouille casse-cou et casse-tout. Elle ne craint rien ni personne. C'est une sacrée friponne !

LES
ORANGÉES

Johannesburg est la plus grande ville d'Afrique du Sud. Telle une pieuvre, elle déploie ses tentacules dans toutes les directions. Visiter tous ses quartiers te prendra bien plus d'une journée.

Tu seras vite conquis par la sincérité du sourire qu'arborent les habitants de cette métropole. À ce qu'il paraît, celui-ci serait contagieux. Chose certaine, les dragouilles de Joburg ont vraiment la mine joyeuse.

Si elles le pouvaient, elles souriraient même jusqu'aux orteils.

LES JUMEAUX

ARC-EN-CIEL VIVANT

AS-TU DÉJÀ EU LA CHANCE D'ADMIRER UN ARC-EN-CIEL ? C'EST MAGNIFIQUE, N'EST-CE PAS ?

On dit de l'Afrique du Sud qu'elle est la « nation arc-en-ciel ». C'est l'archevêque Desmond Tutu, lauréat du prix Nobel de la paix, qui a été le premier à la qualifier ainsi. Cette appellation souligne le fait que plusieurs peuples de langues et de cultures différentes vivent ensemble dans ce pays. Noirs, Blancs, Métis et Indiens forment une seule grande nation. Une richesse culturelle incroyable !

TOURNER 11 FOIS SA LANGUE DANS SA BOUCHE AVANT DE PARLER

Imagine ! L'Afrique du Sud reconnaît 11 langues officielles. Certains Sud-Africains les maîtrisent toutes. C'est ce qui s'appelle ne pas avoir la langue dans sa poche.

DÉLIER LES LANGUES

C'est au sud de l'Afrique que le langage humain aurait pris naissance. Selon des études scientifiques, les quelque 6 000 langues qui existent dans le monde aujourd'hui tiendraient toutes leur origine d'une langue ancestrale parlée par les premiers êtres humains, qui ont vécu en Afrique à l'époque de la préhistoire.

ÇA « CLIC » !

L'isiXhosa est la deuxième langue la plus parlée en Afrique du Sud. Il s'agit d'une langue « à clics ». Les clics sont des sons produits par le claquement de la langue. Les trois différentes catégories de clics sont représentées phonétiquement par les consonnes **C**, **Q** et **X**. Amuse-toi à les reproduire.

Le clic dental (C) : Claque le bout de la langue sur les dents d'en avant. C'est un peu comme le son qu'on émet pour réprimander quelqu'un : « Tss-tss ! Ne fais pas ça ! »

Le clic postalvéolaire (Q) : Claque ta langue au centre de ton palais comme tu fais lorsque tu imites le son d'un bouchon de champagne qui saute.

Le clic alvéolaire (X) : Claque chacun des côtés de ta langue le long de tes dents, comme si tu demandais à un cheval d'avancer.

Des heures de bruits de bouche plus tard, tu parviendras sans doute à reproduire chacun des trois clics. En revanche si tu souhaites maîtriser l'isiXhosa, tu devras réussir à les intégrer à la prononciation même d'un mot.

Tout un défi !

Moi aussi je sais parler en faisant des clics !

Clic!

Clic!

MOTS RIGOLOS

LES DRAGOUILLES, C'EST «LEKKER» !

Avec toutes les langues et tous les dialectes qui sont parlés en Afrique du Sud, les jumeaux ont pris plaisir à te concocter ce sympathique petit lexique :

BAKKIE : CAMIONNETTE

BABA : PÈRE, EN ZOULOU

BRA OU BRU (PRONONCÉ BROU) : FRÈRE, DANS LE SENS DE TRÈS BON COPAIN

LEKKER : GÉNIAL, SUPER

GOGO : AÎNÉE, EN ZOULOU

YEBO : OUI, EN ZOULOU

EISH ! : EXCLAMATION QUI EXPRIME L'ÉTONNEMENT OU LA SURPRISE

ROBOT : FEU DE CIRCULATION

HOWZIT : COMMENT ÇA VA ? OU BONJOUR !

Poignée d'amitié

EN AFRIQUE DU SUD, SURTOUT EN VILLE, LES NOIRS
ONT UNE FAÇON ORIGINALE DE SERRER LA MAIN.
Surprends tes amis en leur faisant cette salutation.

Donne la main à ton ami comme
tu as l'habitude de le faire.

Fais pivoter ton poignet vers le
bas pour que ton pouce s'accroche
à celui de ton ami.

Reviens à la première position et
termine cette poignée de main
par une secousse.

Si ton interlocuteur pose sa main
gauche sur son avant-bras, ce n'est
pas par fatigue mais par politesse.
Ce geste peut aussi être utilisé

Apartheid

DANS CETTE AVENTURE DRAGOUILLANTE, TES YEUX RENCONTRERONT PLUSIEURS FOIS LE TERME « APARTHEID ».

Il s'agit d'un mot qui signifie « séparation » en afrikaans, une des langues officielles d'Afrique du Sud. Ce mot tire aussi son origine du français et signifie « à part ».

Tu te demandes de quelle séparation il est question? Eh bien, aussi aberrant que cela puisse paraître, à l'époque de l'apartheid, les gens de couleur et les Blancs vivaient séparément.

Les Européens sont arrivés en Afrique du Sud vers 1650 et se sont approprié les terres ainsi que le pouvoir. Dès lors, ils ont jugé qu'ils avaient plus de droits que les Noirs qui vivaient déjà en Afrique du Sud. Beaucoup plus tard, en 1948, cette domination des Blancs a été inscrite dans les lois du pays. Par exemple, il était interdit aux Noirs, aux Métis et aux Indiens d'habiter en ville et ils étaient confinés dans d'autres quartiers en périphérie.

Pendant les 40 ans qu'a duré l'apartheid, les gens de couleur ne pouvaient pas fréquenter les mêmes lieux publics que les Blancs. Il y avait donc des autobus, des toilettes publiques et des hôpitaux pour les Blancs et d'autres pour les Noirs.

Heureusement, l'apartheid a pris fin en 1993 grâce au courage et à la détermination des Sud-Africains.

L'ARTISTE

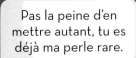

Pas la peine d'en mettre autant, tu es déjà ma perle rare.

PERLE ICI, PERLE LÀ !

Le travail des perles est un savoir-faire ancestral très répandu en Afrique du Sud. De jolies perles colorées sont disposées de façon à former des motifs traditionnels typiques de certains peuples. Depuis plusieurs années, cette forme d'artisanat est revenue à la mode. Lors de ton passage à Johannesburg, tu pourras te procurer un bijou, un porte-clés et même une figurine ou un vase recouverts de petites perles.

LE BON FILON

AS-TU DÉJÀ RÊVÉ DE TROUVER UNE PIERRE PRÉCIEUSE ? EN 1867, EN AFRIQUE DU SUD, UN JEUNE GARÇON DE 15 ANS A EU CETTE CHANCE. LA PIERRE TRÈS BRILLANTE QU'IL A TROUVÉE S'EST AVÉRÉE ÊTRE UN MAGNIFIQUE DIAMANT.

À cette époque, d'importants gisements de diamants et d'or ont été découverts dans ce pays. La ville de Johannesburg a d'ailleurs été érigée à cause de la présence d'un important filon d'or à cet endroit. Egoli, le nom de la ville en zoulou, signifie justement « la cité de l'or ».

De nombreux Européens sont venus en Afrique du Sud pour tenter de s'enrichir. Ce n'est pourtant pas de cette ruée vers l'or dont l'artiste souhaite te parler à la page suivante, mais plutôt de la ruée vers l'art qui s'en est suivie.

Des lingots d'art !

DANSE SOUTERRAINE

LE GUMBOOT EST UNE DANSE QUI A ÉTÉ INVENTÉE À DES KILOMÈTRES SOUS TERRE.

La découverte d'or et de diamants n'a pas entraîné que de la richesse. Le travail dans les mines était extrêmement difficile et dangereux. Les mineurs venaient de partout au pays et ne parlaient pas tous la même langue. De toute façon, dans les mines, il leur était carrément interdit de parler. Les journées étaient longues pour ces vaillants ouvriers, plongés en pleine obscurité et enchaînés.

Pour se divertir et aussi réussir à communiquer, ces mineurs ont inventé une sorte de langage codé. Ils faisaient résonner le caoutchouc de leurs bottes en les frappant avec les mains, tapaient du pied au sol, tapotaient la surface de l'eau et faisaient du bruit avec leurs chaînes.

Au moment de la lutte contre l'apartheid, le gumboot est devenu un moyen d'exprimer son mécontentement devant les injustices. Aujourd'hui, on le danse par plaisir dans plusieurs pays du monde.

Youppi ! Plus besoin d'attendre la pluie. Enfile tes bottes de caoutchouc et

La bonne voie

LES NOIRS SUD-AFRICAINS SAVENT DEPUIS TOUJOURS QUE C'EST EN SE RASSEMBLANT QU'ON DEVIENT PLUS FORT.

Pour exprimer leur mécontentement, ils ont trouvé le moyen de faire entendre leur voix. De quelle façon ? En dansant le *toyi-toyi*.

Le *toyi-toyi* est une danse de protestation dans laquelle on doit sauter sur place, en cadence, tout en scandant différents slogans. La force et l'énergie qui se dégagent de cette masse de gens qui sautillent sont impressionnantes.

J'aime autant danser que protester !

Comme quoi chanter et danser, ça peut aussi aider

Métamorphose

QUE PEUT-ON FAIRE AVEC D'ANCIENNES USINES DÉSAFFECTÉES ET DES BÂTIMENTS DÉLABRÉS? LES DÉMOLIR? CHERCHE ENCORE UN PEU. LES TRANSFORMER? AH OUI! ÇA, C'EST UNE BONNE IDÉE!

Il y a quelques années, une ancienne zone industrielle de Johannesburg s'est complètement métamorphosée en un quartier branché où les arts occupent une place importante. La Cité Maboneng est carrément devenue un pôle culturel où les jeunes s'appliquent à rêver la ville et à réinventer un mode de vie urbain à leur image.

Ces jeunes sont venus occuper de vieux bâtiments reconvertis en espaces commerciaux, en studios ou en lofts avec une vue imprenable sur la ville. On trouve maintenant à Maboneng des boutiques, des galeries d'art, des ateliers, des restaurants, un cinéma, etc. Peu importe leurs origines, les résidents et les commerçants de Maboneng forment une belle communauté.

Plusieurs œuvres d'art décorent les façades des édifices de ce nouveau repère urbain. Un marché où l'on vend des produits artisanaux attire tous les dimanches des milliers de personnes.

Alors si tu as envie de partager ces élans de créativité, c'est vraiment à Maboneng que tu dois aller!

BRICOLAGE

PEUX-TU FABRIQUER UNE « VUVUZELA » ?

La *vuvuzela* est un genre de trompette que la foule utilise pour mettre de l'ambiance entre autres lors des parties de football (soccer). Quand tout le monde se met à souffler en même temps dans sa *vuvuzela*, le bourdonnement devient si fort qu'on dirait qu'un essaim d'abeilles géant a envahi le stade. Impossible de faire la sourde oreille !

IL TE FAUT:

- Un rouleau de papier essuie-tout vide
- Une pochette de classement ou un morceau de carton souple
- Du ruban isolant
- Un verre en plastique

① Découpe et retire le fond du verre.

② Trace un triangle sur le carton : deux côtés mesurent 15 cm et le dernier mesure 6 cm . Découpe-le.

③ Coupe le rouleau de papier essuie-tout dans sa longueur.

④ Avec le ruban isolant, assemble un côté du triangle (15 cm) avec la ligne de coupe du rouleau. Le triangle doit pointer vers l'intérieur.

⑤ Assemble le rouleau de carton avec la base du verre. Presse le rouleau pour former un cône.

⑥ Fixe la petite extrémité du cône avec du ruban isolant. Colle ensuite le côté le plus long du triangle sur le rouleau de carton. Sers-toi du ruban isolant pour faire tenir ensemble le rouleau et le petit côté du triangle avec le verre en plastique.

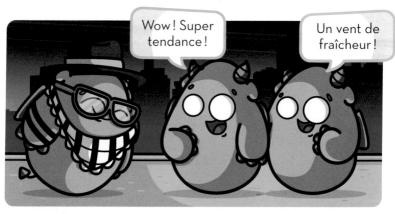

MOi C'est Les autres

L'HARMONIE NE SEMBLE PAS ÊTRE AU RENDEZ-VOUS AUJOURD'HUI ? TES CAMARADES DE CLASSE ET TOI N'ÊTES PAS AU MÊME DIAPASON ? FAITES APPEL AUX QUALITÉS DE L'« UBUNTU » ET VOUS TROUVEREZ UNE SOLUTION POUR VIBRER À L'UNISSON.

Il n'est pas facile de traduire *ubuntu* en un seul mot. Il s'agit en quelque sorte de la façon dont les Sud-Africains conçoivent leur existence en tenant compte de celle des autres.

Voici un exemple concret qui te permettra de comprendre un peu mieux de quoi il est question !

Attaque de câlins !

Un anthropologue a proposé un jeu à des enfants sud-africains. Il a d'abord posé un panier de fruits au pied d'un arbre. Il leur a ensuite expliqué qu'ils allaient faire une course jusqu'à l'arbre et que le premier arrivé pourrait manger tous les fruits. Au signal, les enfants se sont mis à courir, la main dans la main, pour atteindre le panier tous ensemble. Ils se sont assis et ont partagé les délicieux fruits. Surpris, le chercheur a demandé au groupe pourquoi personne n'avait essayé d'être plus rapide que les autres pour remporter tout le butin. Pour ces jeunes, la réponse était simple : *ubuntu* ! Comment l'un d'entre eux pourrait-il être heureux si tous les autres ne l'étaient pas ?

L'*ubuntu* permet de prendre conscience que sa propre humanité est liée à celle des autres. Tu as raison. Ce principe sud-africain devrait être connu et adopté par tous les humains de la planète. À toi maintenant d'en faire la promotion !

L'*ubuntu* englobe plusieurs mots. En voici quelques-uns que tu pourrais afficher sur le babillard de ta classe, à la maison ou simplement dans ton cœur.

ENTRAIDE • HUMANITÉ
CONFIANCE • GÉNÉROSITÉ • COMMUNAUTÉ
RESPECT • PARTAGE

Tu as l'impression d'avoir déjà lu le mot *ubuntu* quelque part ? Tu n'as pas tort. C'est le nom que Mark Shuttleworth, un entrepreneur sud-africain, a donné au système d'exploitation informatique qu'il a créé.

HAUt eN COULeUr

FAIS ENTRER UN ARC-EN-CIEL DANS TA GARDE-ROBE. ADOPTE LE STYLE SMARTEEZ !

Les Smarteez sont de jeunes stylistes branchés originaires de Soweto, un township (une banlieue) de Joburg. Ils s'habillent avec des vêtements et des accessoires si colorés que ces joyeux excentriques donnent l'impression d'être tout droit sortis d'une boîte de bonbons.

Au départ, les Smarteez voulaient simplement égayer la mode masculine qu'ils trouvaient ennuyante. Aujourd'hui, ils connaissent un grand succès dans leur pays et ailleurs dans le monde. Ces passionnés de mode ont créé un véritable phénomène. Ils ont donné le goût aux gens de mettre de la couleur dans leur existence.

Les Smarteez sont de vrais créateurs. Ils donnent une deuxième vie aux vêtements en les transformant de façon originale.

SMARTEEZ D'UN JOUR

Enfile des vêtements aux couleurs criardes, porte un nœud papillon à ton cou et ajoute des accessoires multicolores. N'impose aucune limite à ton imagination.

Destinée

ROLIHLAHLA MANDELA EST NÉ EN 1918, DANS LE VILLAGE DE MVEZO. QUI SE SERAIT DOUTÉ, À CETTE ÉPOQUE, QUE CE PETIT ÊTRE SERAIT VOUÉ À UN DESTIN AUSSI EXCEPTIONNEL ?

Nelson est le nom chrétien et anglais que son institutrice de l'école primaire lui choisit. Très tôt dans sa vie, Nelson Mandela est choqué par les inégalités qui existent entre les Blancs et les Noirs de son pays.

Plus tard, il se lance en politique et devient un acteur important dans la lutte contre l'apartheid.

En 1964, Mandela, qui est déjà en prison depuis près de deux ans, y est condamné à vie. On l'accuse de haute trahison et de recours à la force. Même durant sa détention, il continue sa lutte et ne perd jamais espoir.

Mandela est enfin libéré en 1990, après 27 années d'emprisonnement. Mandela et le président De Klerk travailleront ensemble pour mettre fin au régime de l'apartheid. En 1993, les deux hommes recevront le prix Nobel de la paix pour leurs efforts de réconciliation. En 1994, les Noirs ont le droit de vote pour la première fois. Nelson Mandela est alors élu président de l'Afrique du Sud.

Nelson Mandela est mort en 2013 dans sa maison de Johannesburg. Il continue malgré tout d'inspirer les Sud-Africains et les peuples du monde entier.

LA GEEK

DEVINETTES

1) POURQUOI LES GIRAFES ONT-ELLES UN LONG COU ?

2) POURQUOI LES GIRAFES ONT-ELLES DE SI GRANDES HISTOIRES D'AMOUR ?

3) QUEL EST LE COMBLE DU MALHEUR POUR UNE GIRAFE ?

4) QU'EST-CE QUI EST PIRE QU'UNE GIRAFE AVEC UN TORTICOLIS ?

5) QUEL EST LE POISSON PRÉFÉRÉ DES ZÈBRES ?

6) POURQUOI LE BÉBÉ LION N'EST-IL PAS TRÈS INTELLIGENT ?

7) POURQUOI LES ÉLÉPHANTS ONT-ILS UNE MAUVAISE VUE ?

8) QUEL FRUIT PEUT VOUS SORTIR DU PÉTRIN ?

1) PARCE QU'ELLES PUENT DES PIEDS 2) PARCE QU'ELLES ONT DE TRÈS LONGS COUS (COUPS) DE FOUDRE 3) AVOIR À PRENDRE SES JAMBES À SON COU 4) UN MILLE-PATTES AVEC DES AMPOULES AUX PIEDS 5) LA RAIE 6) PARCE QUE C'EST UN LION SOT (LIONCEAU) 7) PARCE QU'ILS ONT DES DÉFENSES D'Y VOIR (D'IVOIRE) 8) L'AVOCAT

PLUS VITE!

LE TOURNIQUET POMPE À EAU: UNE INVENTION ÉTOURDISSANTE ET DÉSALTÉRANTE.

Dans un parc ou à l'école, as-tu déjà joué à courir très vite en poussant un grand tourniquet jusqu'à en être tout étourdi ? C'est chouette, pas vrai ? Un Sud-Africain a eu la brillante idée d'utiliser l'énergie engendrée par la mise en mouvement du tourniquet pour actionner une pompe à eau.

À la campagne, des tourniquets ont été installés dans plusieurs cours d'école. Dès que la cloche de la récréation sonne, les enfants sortent puiser de l'eau potable tout en s'amusant. Ils courent très vite pour faire tourner l'engin en moyenne 26 tours par minute et parviennent ainsi à recueillir 1 400 litres d'eau par heure.

L'eau est puisée dans les nappes souterraines, jusqu'à 100 mètres de profondeur. Elle est ensuite conservée dans un grand réservoir juché à 7 mètres du sol, au sommet d'une petite tour. L'eau est ensuite distribuée gratuitement aux élèves.

C'est ce qui s'appelle joindre l'utile à l'agréable !

TOUCHER
Les nuages !

Rends-toi au Carlton Center, un gratte-ciel de 50 étages situé au centre-ville de Johannesburg. Il culmine à une hauteur de 223 mètres. Il a déjà été l'édifice le plus haut de l'hémisphère sud. Il est maintenant le plus haut de tout le continent africain.

Au dernier étage se trouve une plateforme d'observation surnommée «Top of Africa» (toit de l'Afrique) d'où tu pourras observer la ville sur 360 degrés. Cette terrasse peut aussi être réservée pour célébrer des événements importants comme des mariages ou des anniversaires.

TOUT CE QUI MONTE FINIT PAR REDESCENDRE

Après ta balade dans les nuages, que dirais-tu de faire un peu de lèche-vitrine souterrain ? Le Carlton Center abrite aussi un grand centre commercial dont la plupart des boutiques se trouvent au sous-sol.

À la fin de la journée, il y a fort à parier que tu seras heureux de te retrouver à nouveau sur le plancher des vaches... ou des girafes.

BiiP! BiiP!

L'ABONNÉ QUE VOUS TENTEZ DE JOINDRE N'EST PAS DISPONIBLE. VEUILLEZ RÉESSAYER PLUS TARD, LORSQU'IL AURA TERMINÉ LA LECTURE DE CETTE DRAGOUILLANTE AVENTURE.

Si tu penses que seulement une minorité de Sud-Africains possède un téléphone cellulaire, c'est qu'il est temps de passer à un autre appel. Il faut que tu saches qu'aujourd'hui 99 % de la population en possède un.

Tu te trouves dans un endroit un peu plus reculé et sans électricité? Pas de panique! Tu n'as besoin que d'un peu de jus de bras pour recharger la pile de ton téléphone. Ne fais pas cette tête de gazelle ébahie. C'est vrai! L'Afrique du Sud est le pays où a été inventé le chargeur à manivelle. Suffit de la faire tourner pour produire l'énergie nécessaire.

Dans ce pays où le soleil est rarement en vacances, les chargeurs solaires sont aussi très courants. N'est-ce pas lumineux comme idée?

Voyage
dans le temps

D'OÙ VIENT CETTE CRÉATURE ÉTRANGE QU'EST L'HUMAIN ? TU TROUVES QUE C'EST UNE GRANDE QUESTION ? PAS TANT QUE ÇA POURTANT, SEULEMENT 10 MOTS. SANS BLAGUE, METS TON CHAPEAU À LA INDIANA JONES ET JOINS-TOI À UNE EXPÉDITION EXTRAORDINAIRE.

À une heure environ de Johannesburg se trouve ce qu'on appelle le « berceau de l'humanité ». Il s'agit d'une région qui recèle la plus grande concentration de fossiles d'hominidés au monde.

À Maropeng, un centre d'exposition logé dans un tumulus (une structure qui ressemble à un ancien monticule funéraire) te propose d'en apprendre davantage sur les origines de l'humanité. Tu pourras même commencer ton aventure par une promenade souterraine qui te fera franchir les différentes étapes de la création de la Terre. Ensuite, tu auras la chance de voir de vrais fossiles d'hominidés.

Tu souhaites en voir encore plus ? Rends-toi aux grottes de Sterkfontein. Elles sont très riches en fossiles. C'est à cet endroit qu'a été découvert le célèbre crâne préhumain connu sous le nom de « Madame Ples » et datant de 2,3 millions d'années. Un squelette presque complet appelé « Little Foot » qui serait âgé de plus de 3 millions d'années y a également été trouvé.

ET SI NOUS ÉTIONS TOUS D'ORIGINE AFRICAINE ?

Il existe une théorie selon laquelle tous les humains auraient un ancêtre commun. Les nombreux fossiles d'hominidés découverts en Afrique ainsi que les résultats de recherches très poussées en génétique tendent à confirmer que l'ancêtre de l'homme moderne serait bel et bien originaire du continent africain.

Alors, chers humains de la Terre, à quoi bon se faire la guerre puisque nous formons une seule et grande famille !

Dragouillidés aiment hominidés.

Charade

MON PREMIER EST UN ADJECTIF POSSESSIF FÉMININ

**MON SECOND EST LE VERBE « DIRE » À L'IMPÉRATIF PRÉSENT,
À LA 2ᵉ PERSONNE DU SINGULIER**

MON TROISIÈME EST LE CONTRAIRE DE HAUT

**MON TOUT EST LE SURNOM QUE LES SUD-AFRICAINS
ONT AFFECTUEUSEMENT DONNÉ À NELSON MANDELA**

RÉPONSE : MA-DIS-BAS (MADIBA)

SURVOL

Une dragouille vient de survoler cette étrange forme.

DEVINE DE QUOI IL S'AGIT.

La réponse est écrite à l'envers.

RÉPONSE : UN CORNET DE CRÈME GLACÉE RENVERSÉ

LE défi
de la geek

Peux-tu fabriquer
une housse de téléphone
intelligent en quelques
secondes ?

Pour relever le défi, il te faut :

— 1 ballon de caoutchouc

— 1 téléphone intelligent.

TES PARENTS OU TON GRAND FRÈRE ONT TOUJOURS LES YEUX RIVÉS SUR L'ÉCRAN DE LEUR TÉLÉPHONE INTELLIGENT ?

Alors, une petite pause s'impose ! Demande-leur de te prêter ce précieux objet quelques secondes. Attention ! Cela peut provoquer de l'anxiété.

COMMENT FAIRE ?

1 Annonce à ton public que tu vas fabriquer une housse de téléphone intelligent en quelques secondes, directement sous ses yeux.

2 Gonfle le ballon et pince l'embouchure pour empêcher l'air de sortir.

3 Avec ton autre main, pose le téléphone sur le ballon. Le haut du téléphone doit être vis-à-vis l'embouchure du ballon.

4 Appuie assez fortement sur le télé-phone tout en relâchant tranquillement l'air du ballon.

Caoutchouc que c'est amusant !

Popote
Un « bobotie »

EN AFRIQUE DU SUD, LE MÉLANGE DES CULTURES SE FAIT SENTIR MÊME SOUS LE COUVERCLE DES MARMITES.

Le *bobotie* est un mets traditionnel originaire du Cap, mais il est préparé et dégusté partout au pays. Les nombreuses épices qu'il contient laissent croire qu'il est inspiré d'une recette indonésienne appelée *bobotok*.

Évidemment, chaque famille possède sa propre recette de *bobotie*. Tes papilles ne sauront résister à ce mets parfumé.

Le *bobotie* est servi !

Recette

POUR 4 CONVIVES
IL TE FAUT :

- 500 g (1 lb) de bœuf haché
- 2 tranches de pain (sans les croûtes)
- 250 ml (1 tasse) de lait
- 30 ml (2 c. à soupe) d'huile végétale
- 2 œufs
- 30 ml (2 c. à soupe) de chutney à la mangue ou de confiture d'abricot
- 125 ml (1/2 tasse) de raisins secs de Corinthe
- 125 ml (1/2 tasse) d'amandes effilées
- Un oignon émincé
- Une gousse d'ail hachée
- 15 ml (1 c. à soupe) de cari
- 2,5 ml (1/2 c. à thé) de curcuma
- 2,5 ml (1/2 c. à thé) de noix de muscade moulue
- 2,5 ml (1/2 c. à thé) de poivre moulu
- 2,5 ml (1/2 c. à thé) de sel
- 15 ml (1 c. à soupe) de jus de citron

1. Allume le four à 180 °C (350 °F).

2. Fais tremper le pain dans la moitié du lait.

3. Fais dorer l'oignon et l'ail dans une cuillère à soupe d'huile à feu moyen-vif pendant environ 5 minutes.

4. Réduis la température et ajoute le cari. Poursuis la cuisson à feu doux 2 minutes et laisse refroidir.

5. Mélange dans un bol : la viande, un des deux œufs, les raisins secs, les amandes, le chutney, le jus de citron, toutes les épices et le sel.

6. Égoutte le pain et ajoute-le au mélange.

7. Ajoute l'oignon et l'ail à ce mélange, ensuite fais revenir le tout dans une cuillère à soupe d'huile pendant 10 minutes environ. Remue fréquemment.

8. Répartis le mélange dans un plat allant au four. Compresse-le avec une fourchette.

9. À l'aide d'un fouet, bats l'autre œuf avec le reste du lait (incluant celui dans lequel le pain a trempé).

10. Verse cette préparation sur le mélange déjà dans le plat.

11. Fais cuire environ 40 minutes.

RIZ JAUNE

LE « BOBOTIE » EST SOUVENT SERVI AVEC DU RIZ JAUNE (APPELÉ « GEELRYS »).
Voici comment le préparer :

- 250 ml (1 tasse) de riz blanc à grains longs
- 10 ml (2 c. à thé) de curcuma
- Une pincée de sel
- Une pincée de cannelle
- 5 ml (1 c. à thé) de sucre
- 65 ml (1/4 de tasse) de raisins secs de Corinthe
- 30 ml (2 c. à soupe) de beurre
- 500 ml (2 tasses) d'eau

1. Mets tous les ingrédients dans une casserole.

2. Porte le mélange à ébullition sans couvrir.

3. Couvre et laisse frémir le mélange à feu doux environ 20 minutes, ou jusqu'à ce que l'eau soit complètement absorbée.

J'ai le soleil à la bouche !

SUR LE gril

QU'EST-CE QUI UNIT TOUS LES SUD-AFRICAINS ? LE FOOTBALL ? LE RUGBY ? NON, C'EST LE « BRAAI ».

En Afrique du Sud, les gens aiment se rassembler en famille ou entre amis autour d'un *braai*, l'équivalent du barbecue. En toutes saisons, ils y font cuire de délicieuses grillades : *boerewors* (des saucisses), côtelettes d'agneau, côtes de porc, etc. Hiver comme été, à l'intérieur comme à l'extérieur, le *braai*, c'est le bonheur.

ENCORE UN PETIT CREUX ?

Rends-toi au restaurant Carnivore à Johannesburg et tente une expérience culinaire qui sort de l'ordinaire.

Au menu :
Autruche, crocodile, girafe, koudou et gnou bleu.

LA REBELLE

LES CINQ GRANDS

PEUX-TU FAIRE ENTRER 10 RHINOCÉROS, 20 ÉLÉPHANTS, 50 LIONS, 100 BUFFLES ET 200 LÉOPARDS DANS LA MÊME PIÈCE ? AFFIRMATIF. IL TE SUFFIT D'ALLER DÉPOSER DES SOUS À LA BANQUE.

Le rand est la monnaie officielle de l'Afrique du Sud. Les billets de banque représentent, entre autres, les cinq grands (appelés les *big five*). Il s'agit des animaux les plus populaires de la savane auprès des chasseurs et des touristes.

10

200

20

100

50

Tu me dois 5 lions et 3 éléphants.

D'APRÈS TOI, QUEL EST L'ANIMAL D'AFRIQUE LE PLUS DANGEREUX POUR L'HUMAIN ? LE LION ? MAUVAISE RÉPONSE. VEUX-TU UN INDICE ? CET ANIMAL EST HERBIVORE.

Il s'agit de nul autre que monsieur hippopotame. Comment un animal qui se nourrit seulement de végétaux peut-il être aussi dangereux pour l'humain? Vois-tu, c'est parce que l'hippopotame est un mammifère très territorial. Sur terre comme dans l'eau, ce colosse de 3 à 4 tonnes n'hésite pas à charger en direction de celui ou celle qui se trouve sur son chemin.

Cet animal que l'on trouve souvent dans les décors de chambres de bébés n'a donc rien de bien mignon. À moins qu'il soit en peluche, il vaut mieux éviter d'aller lui faire des guili-guili.

CROQUEURS
D'ORTEILS

SI TU CONFIES À TON AMI QUE TOUT VA DE TRAVERS DANS TA VIE CES TEMPS-CI, IL TE RÉPONDRA PEUT-ÊTRE : « C'EST LA FAUTE AU TOKOLOSHE. »

En Afrique du Sud, surtout à la campagne, mais parfois en ville, certaines personnes croient en l'existence d'une créature à l'esprit malfaisant. Il s'agit du Tokoloshe, un être poilu et de petite taille. Celui-ci aurait la capacité de changer de forme ou de devenir invisible en avalant une pierre.

Les gens qui croient et qui craignent cet esprit maléfique le rendent responsable de tous les petits et grands malheurs du quotidien.

Pour éviter de se faire mordre les orteils par le Tokoloshe pendant la nuit, la tradition est de surélever son lit avec des briques.

Entre nous, c'est surtout un bon truc contre les chatouilles de dragouilles.

Moi, je peux être plus moche que le Tokoloshe !

C'est ski me dérange dans ce sport.

Fait d'hiver

TU TE PRÉPARES À PARTIR EN AFRIQUE DU SUD? VOICI CE QUE TA VALISE POURRAIT CONTENIR: PASSEPORT, MAILLOT DE BAIN, CRÈME SOLAIRE, CHAUSSURES DE RANDONNÉE, SKIS, JUMELLES.

Euh... des skis? Oui, oui. Il n'y a pas d'erreur dans cette énumération. Il est tout à fait possible de skier en Afrique du Sud.

Pour vivre cette expérience unique, tu devras te rendre à la station de ski Tiffindell située dans le massif montagneux du Drakensberg. Cette station, dont le plus haut sommet s'élève à 3001 m d'altitude, est l'hôte du championnat sud-africain de ski et de snowboard.

Attention! La saison de ski s'échelonne du mois de juin au mois d'août, car c'est à cette période de l'année que l'hiver bat son plein dans l'hémisphère sud.

au revoir

C'est en chantant, bien sûr, que les dragouilles de Johannesburg viennent souligner la fin de votre séjour. Suivez le rythme et gardez le sourire avant de repartir vers d'autres contrées éloignées.

En attendant, n'oubliez pas de lever les yeux vers le ciel de temps en temps. On ne sait jamais qui pourrait être en train de vous observer.

GLOSSAIRE

Anthropologue : personne qui étudie l'être humain.

Archevêque : ministre religieux.

Délabré : en mauvais état.

Hominidés : mammifères primates.

Quartiers en périphérie : quartiers situés loin du centre d'une ville.

Urbain : qui concerne la ville.

LES DRAGOUILLES

LES CRITIQUES SONT UNANIMES...

« ENSORCELANT ! »
- HENRI, UN GENTIL TOKOLOSHE

« AH ! MON AFRIQUE ! »
- LUCIE, UNE AMOUREUSE DE L'AFRIQUE DU SUD

« SI LES DRAGOUILLES N'EXISTAIENT
PAS IL FAUDRAIT LES INVENTER,
PAS VRAI, MAMAN ? »
- ELLIOT, UNE PETITE PATATE

« UN LIVRE VRAIMENT À POINT ! »
- ELI, UN SPÉCIALISTE DU « BRAAI »

« PERCUTANT ! »
- ANNABELLE, DANSEUSE DE GUMBOOT

NEW YORK

BARCELONE

NEW DELHI

TUNIS

AUCKLAND

RIO DE JANEIRO

REYKJAVIK

BEIJING

JOHANNESBURG

Catalogage avant publication de Bibliothèque et Archives nationales du Québec et Bibliothèque et Archives Canada

Cyr, Maxim

　Les dragouilles

　Sommaire : 15. Les orangées de Johannesburg.
　Pour enfants de 7 ans et plus.

　ISBN 978-2-89435-711-8 (v. 15)

　I. Gottot, Karine　II. Titre.　III. Titre : Les orangées de Johannesburg.

PS8605.Y72D72 2010　　jC843'.6　　C2009-942530-0
PS9605.Y72D72 2010

Le Conseil des Arts du Canada
The Canada Council for the Arts

Patrimoine
canadien

Canadian
Heritage

La publication de cet ouvrage a été réalisée grâce au soutien financier du Conseil des Arts du Canada et de la SODEC. De plus, les Éditions Michel Quintin reconnaissent l'aide financière du gouvernement du Canada par l'entremise du Fonds du livre du Canada pour leurs activités d'édition.

Gouvernement du Québec – Programme de crédit d'impôt pour l'édition de livres – Gestion SODEC

ISBN 978-2-89435-711-8

Dépôt légal – Bibliothèque et Archives nationales du Québec, 2015
Dépôt légal – Bibliothèque et Archives Canada, 2015

Éditions Michel Quintin
4770, rue Foster, Waterloo (Québec)
Canada　J0E 2N0
Tél. :　450 539-3774
Téléc. : 450 539-4905
editionsmichelquintin.ca

1 5 - W K T - 1

Imprimé en Chine